Martin Zeller
Vincent Caut

Pablo

et le Grand Vilain Gribouilli

GALLIMARD JEUNESSE GIBOULÉES

Pablo sursaute. Qui l'a appelé?

C'est Trobo, le robot bleu.
Ses roues sont rouges,
il a du jaune plein les yeux.

–Viens voir ce que j'ai trouvé!

–Une mine de traits!

Les formes sont toutes là,

il suffit de creuser.

Pablo trouve des traits droits...

... et aussi des penchés.

Il y a même des traits ronds...

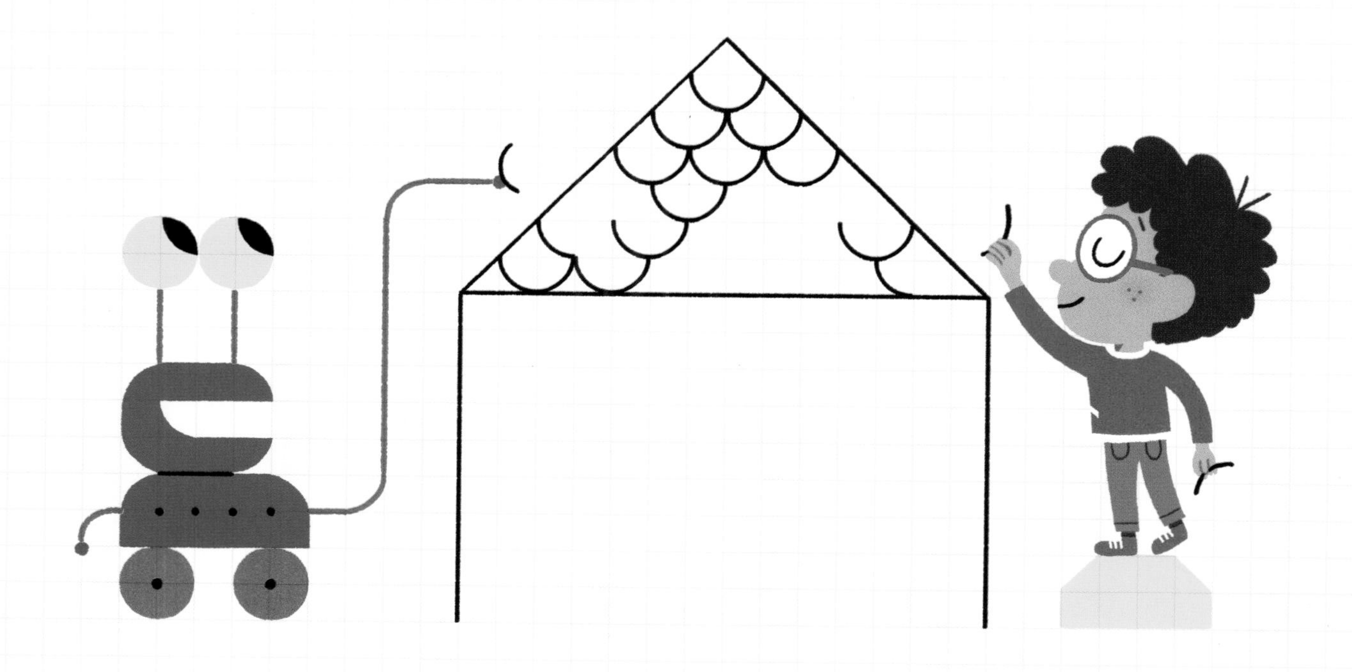

...tout pour faire une maison!

Un tapis, un canapé,
des chaises, des jouets
et puis la cheminée...
Les deux amis ont terminé :
leurs invités peuvent arriver.

-QUI S'AMUSE SANS MOI?
demande une grosse voix...

–Le Vilain Gribouillis!

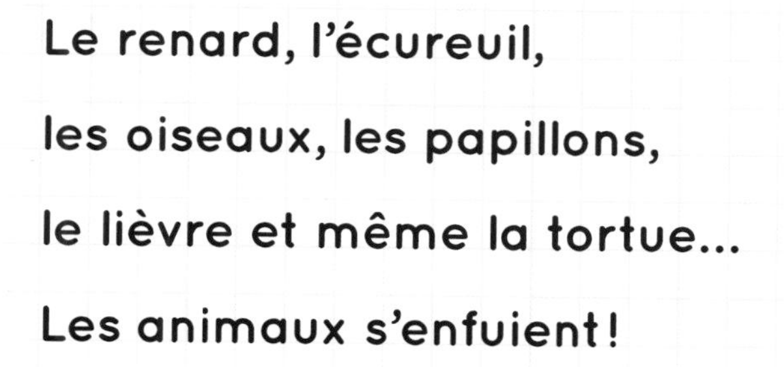

Le renard, l'écureuil,

les oiseaux, les papillons,

le lièvre et même la tortue...

Les animaux s'enfuient!

–Au pays des petits carreaux,
explique alors Trobo,
tout était bien dessiné.
Et puis, le Gribouillis est arrivé…

…Il laisse derrière lui
un immense fouillis.

Un bon coup de blanc
sur l'arbre gribouillé
et les amis sont prêts
à tout redessiner.

–Merci Pablo, chantent les oiseaux,

pour ces belles formes retrouvées.

Maintenant viens!

Car l'ourse vous attend.

Tapie au fond de sa caverne,

la bête cache ses fesses gribouillées.

Pablo refait sa queue en noir et blanc.

Mais l'ourse rêve de couleurs...

–Je sais où en trouver,

leur dit Trobo,

si vous n'avez pas peur...

Au cœur de la forêt des traits
pousse un arbre magique.
Mais c'est aussi là qu'habite
le Grand Vilain Gribouillis...

–Chut ! Attention !

Ne faites pas de bruit.

–Hourra! L’arbre à couleurs est là!

Trobo ramasse les feuilles. L’ourse imagine déjà…

–QUI OSE VENIR ICI?

QUI VOLE MES COULEURS?

rugit le Gribouillis...

Il ne reste que Pablo.

-Mais tu n'es pas vilain.
Tu es trop rigolo!
-Suis-moi!
Je vais te présenter.

–Sortez de vos cachettes,
se moque le garçon.
Voici le Gribouillis,
lui aussi vit ici.

Ils montrent tous leur tête :
le petit robot bleu,
l'écureuil joyeux,
le renard souriant,
et les oiseaux blagueurs.

Seule l'ourse grogne encore.
Son derrière est trop blanc.

Le Gribouillis adore les couleurs.

Il en gribouille beaucoup et carrément partout :

Sur les branches, dans les arbres, par terre et dans le ciel...

–Une nouvelle queue toute bleue!

admire l'ourse ravie.

Merci Grand Gribouillis.

Dans le monde des traits,
tout était bien dessiné.
Maintenant, on peut aussi
jouer ou même gribouiller.